KT-473-846

SV

THE LIBRARY

OF

KA 0331621 1

Peter Handke

Die Stunde da wir nichts voneinander wußten

Ein Schauspiel

Suhrkamp Verlag

UNIVERSITY OF WINCHESTER
LIBRARY

832
91
HAN

03316211

Erste Auflage 1992
© Suhrkamp Verlag Frankfurt am Main 1992
Alle Rechte vorbehalten, insbesondere das der Aufführung
durch Berufs- und Laienbühnen, des öffentlichen Vortrags, der
Verfilmung und Übertragung durch Rundfunk und Fernsehen,
auch einzelner Abschnitte. Das Recht der Aufführung oder Sen-
dung ist nur vom Suhrkamp Verlag, Frankfurt am Main, zu
erwerben. Den Bühnen und Vereinen gegenüber als Manuskript
gedruckt. Druck: Wagner GmbH, Nördlingen
Printed in Germany

für S.
(und zum Beispiel den Platz
vor dem Centre Commercial du Mail
auf dem Plateau von Vélizy)

UNIVERSITY OF WINCHESTER
LIBRARY

»Was du gesehen hast, verrat es nicht;
bleib in dem Bild.«

(Aus den Sprüchen des Orakels von Dodona)

Ein Dutzend Schauspieler und Liebhaber

Die Bühne ist ein freier Platz im hellen Licht.
Es beginnt damit, daß einer schnell über ihn
wegläuft.
Dann aus der anderen Richtung noch einer,
ebenso.
Dann kreuzen zwei einander, ebenso, ein jeder
in kurzem, gleichbleibendem Abstand gefolgt
von einem dritten und vierten, in der Diagonale.

Pause.
Einer kommt über den Platz gegangen, im
Hintergrund.
Indem er für sich dahingeht, öffnet und spreizt
er in einem fort alle seine Finger, streckt und
hebt zugleich langsam die Arme, bis er damit
einen Bogen geschlossen hat über dem Scheitel, und senkt sie wieder, ebenso gemächlich,
wie er über den Platz schlendert.
Bevor er hinten in der Gasse verschwin-
det, macht er noch Wind mit seinem Gehen,
fächelt sich diesen zu mit vollen Händen,

legt entsprechend den Kopf in den Nacken, das Gesicht nach oben, und kurvt zuletzt ab.

Als er, in dem gleichen Rhythmus, im Handumdrehn wieder auftaucht, kommt im Platzmittelgrund ihm ein andrer entgegen, der sich unterwegs einen lautlosen Takt schlägt, erst mit der einen Hand, dann im Verein mit der zweiten, und schließlich, beim Abbiegen seinerseits von dem Platz in noch eine Gasse, ist dem sein ganzer Körper gefolgt, hat auch die Gangart sich den Takt eingeübt.

Während er, wie sein Vorgänger – der im übrigen hinten im Gleichmaß auf- und abtretend, sich weiter Wind und Licht zu machen versucht –, auf den Fersen umkehrt, von neuem, und dann wieder von neuem, den Platz durchmißt und sich seinen Takt vorgibt, laufen im Vordergrund, von links, von rechts, von oben, von einer unsichtbaren Brüstung oder Brücke gesprungen, von unten, aus einem Graben oder einem Gassenloch, geschwungen, vier, fünf, sechs, sieben andere ein, eine ganze Mannschaft.

Auch sie halten auf dem Platz nicht inne,

schwärmen da aus, verlassen ihn, sind schon wieder zurück, jeder für sich, und ein jeder dabei, in seinem »Sich-Einspielen«, in einem fort jäh die Gestalten und Figuren wechselnd, chimärenhaft: vom Sprung aus dem Stand gleich der Übergang, bei im übrigen eher unbewegten Mienen, ins Hakenschlagen, Schuheabklopfen, Armeausbreiten, Sich die Augen Beschirmen, Am Stock Gehen, Leisetreten, Hutabnehmen, Sichkämmen, ein Messer Ziehen, Luftboxen, über die Schulter Blicken, Regenschirmaufspannen, Schlafwandeln, zu Boden Stürzen, Ausspucken, auf der Linie Balancieren, Stolpern, Tänzeln, unterwegs sich einmal im Kreis Drehen, Summen, Aufstöhnen, sich mit der Faust auf den Kopf und ins Gesicht Schlagen, sich die Schuhe Zubinden, eine kurze Spanne auf dem Boden Hinrollen, in die Luft Schreiben, das alles durcheinander, nicht ausgeführt, nur im Ansatz.

Und schon sind sie, die vorn, der in der Platzmitte, der ganz hinten, wieder verschwunden.

Pause.

Einer überquert den Platz, ohne Augen für diesen, als Angler, auf dem Hinweg.

Ebenso dann gleich eine als dickvermummte ältere Frau, einen Einkaufskarren hinter sich herziehend.

Sie ist noch nicht ganz aus dem Blickfeld, als zwei mit den Helmen von Feuerwehrsleuten über den Platz gestürmt kommen, Schläuche und Löscher im Arm, eher bei einer Übung als einem Ernstfall?

Ihnen folgt auf dem Fuß, mit dem Gang eines Traumverlorenen, der Anhänger einer Fußballelf, unterwegs nach Hause, wohin es noch weit ist, unter der Achsel eine verkohlte Fahne, die ihm beim Gehen allmählich auseinanderfällt, wiederum gefolgt von jemand Unbestimmten, mit einer Leiter, an welche dann eine, die nach ihm auftritt als Schönheit auf hohen Absätzen, im Überholen anstreift, ohne daß beide es beachten.

Pause.

Ein Rollschuhläufer flitzt über die Szene, ist schon vorbei.

Einer als Teppichhändler, den Teppichstapel offen auf der Schulter, tiefgebückt, zwischendurch einhaltend, mit geknickten Knien, quert hinter ihm den Platz auf seinem Kundenweg.

Er schleppt sich noch dahin, als er gekreuzt wird von einem, der, als Cowboy oder Treiber, bei jedem dritten Schritt die Peitsche schnalzt, dabei wie der andre für sich seines Weges gehend.

Ebenso geht inzwischen schon eine Barfüßige, stockend, die Hände vorm Gesicht, weiter hinten über den Platz, läßt mittendrin die Arme fallen und schlurft, einen Finger im Mund, mit einem großen Grinsen im Kreis weiter, als Schwachsinnige, welche vielleicht gerade noch als Schönheit vorbeidefiliert ist, während weiter vorn auf dem Platz, an sie anschließend, zwei junge Mädchen, bei ihrem Auftritt ineinander eingehängt, für eine Strecke plötzlich zu einem Paar von Radschlägern werden, einen Augenblick danach schon wieder verduftet.

Einer, als episodischer Platzwart, streut hinterher, im Zickzack über die Szene kurvend, aus

einem Kübel Handvoll um Handvoll Asche
aus, als Gefolge einen vereinzelten Fastgreis,
der auf dem hocherhobenen Haupt, mit beiden Fäusten sie haltend, eine mächtige Wiege,
samt entsprechendem Wappen, trägt, vorsich-
tigen Schritts, wie auf einem gespannten Seil,
schließlich sein Ding ganz loslassend und es
frei auf seinem Scheitel balancierend, dabei
mehr und mehr ins Tänzeln geratend, aus dem
zuletzt ein sicheres Spiel wird.

Fast zugleich mit ihm eilt auch schon einer als
örtlicher Geschäftsmann vorbei, welcher im
Queren des Platzes seinen einen Schlüsselbund, den vom Auto?, einsteckt und den andern, den größeren, von Haus und Laden?,
herauszieht, darinnen im Gehen den passen-
den fingert und mit ihm beim Abgang in Richtung seines Objekts zielt.

Und unmittelbar danach kommt jemand Unbestimmbarer wie hinter ihm hergelaufen,
stockt mitten auf dem Platz und kehrt langsam
wieder um.

Pause.
Der freie Platz im hellen Licht.

Ein Flugzeug hoch über ihm, zwei, drei Momente lang; der Flugzeugschatten?

Dann wieder der frühere Zustand.

Eine Staubwolke; eine Rauchschwade.

Ein Uniformierter marschiert auf der einen Seite rasch durch, und kommt auch schon wieder von der andern zurück, ebenso im Laufschritt, im Arm einen Blumenstrauß, mit diesem auf kürzestem Wege verschwindend.

Ein Skateboardfahrer, etwas Imaginäres umkurvend, dann gleich von seinem Ding abgesprungen und mit ihm unterm Arm gemächlich-beschaulich abgegangen, wenig Gemeinsames mit dem Rollschuhläufer von früher, wird im Nu abgelöst von einer Silhouette in Mantel und Hut, von welch letzterem, als der Passant ihn abnimmt und damit noch und noch im Kreis grüßt, noch und noch Laub fällt, aus welch ersterem, als er ihn ebenso aufknöpft, dann noch und noch Schotter und Sand rasseln, zuletzt auch ein paar Steine poltern.

Naß ist dagegen die Gestalt, die inzwischen schon eine ganz andere Bahn über den Platz zieht, tropfnaß wie nur ein Schiffbrüchiger, der auf den Knien daherkroch und sich erst allmählich so halbwegs aufrichtet, und dann auch schon aus dem Bild taumelt.

An seiner Stelle geht jetzt eine junge Frau, in einem leichten Bürokleid, ein Tablett mit ein paar Kaffeetassen in der Hand, und beschreibt einen kurzen Bogen über die Bühne, ehe sie in eine der Gassen biegt.

Ebenso zieht ein Straßenkehrer vorbei, auf einem anderen Segment, mit seinem Besen- und Schaufelwagen.

Pause.

Der leere Platz im Licht.

Ein Gellen von Dohlen, so wie im Hochgebirge.

Danach das einer Möwe.

Einer mit Blindenbrille tapst herein, ohne seinen Stock, irrt umher, und bleibt dann wie verloren stehen, während um ihn herum, von allen Seiten, ein episodisches Getriebe herrscht: plötzliches Vorbeistampfen eines Läufers (der schon lang unterwegs ist); einer, der im Irrwitz dahinflitzt, den Kopf immer wieder zurückwendend über die Schulter, von dem gleich Nachsetzenden, der gegen ihn die Faust ballt, verfolgt als ein Dieb; einer, der auftritt als der Terrassenkellner, eine Flasche entkapselnd, die Kapsel über den Platz schnippend und wieder abgehend; wieder die Alte mit ihrem Einkaufskarren, in Begleitung einer fast identischen anderen, nur die Karren sind verschieden; zugleich einer auf einem Bergrad, sich immerzu aus dem Sattel hebend; zugleich auch eine ganze Gruppe, die mit großen Schritten, Reisetaschen schwingend, hintereinander über den Platz geht, wie manchmal Jugendliche, von einem Abteil zum nächsten, in einem Zug, oder eine Mannschaft unterwegs vom Bus zum Spielfeld; und zugleich einer, der im Gehen die Zeitung durchblättert, ohne ein Aufschauen, im Bogen um den wie horchenden Blinden in der Platzmitte, welcher nun von einem um die Ecke geeilten Neuankömmling von hinten um die Schulter gefaßt wird und, sich in diesen einhängend, ohne ihm das Gesicht zuzuwenden, durch die Mitte abgeht, ausführlich dabei das von dem andern ihm in die Hand gedrückte Buch abtastend.

Wo die beiden gerade noch standen, bewegt sich inzwischen wieder ein Wanderer, langer Staubmantel, eher unzeitgenössischer Rucksack und genagelte Schuhe, so in sein Gehen versponnen, daß ihm der Platz nicht einmal Zwischenhalt wird, und legt den weitauspendelnden Arm mittendrin auf einmal gleichsam um eine Lufttaille, dann ebenso auch den zweiten.

Inzwischen quert eine junge elegant aufgemachte Frau, in der einen Hand einen Hammer, in der andern einen geöffneten Zentimeterstab, Nägel zwischen den Lippen.

Pause.
Ein Zeitungsblatt schlittert über den Platz, dann noch eins.
Ein ferngelenktes Spielzeugauto schießt aus einem Winkel vor, ruckt hierhin und dorthin, schnellt wieder weg.
Ein vielfarbiger Drachen trudelt ab, schleift über den Platz, wird in die Gasse geblasen wie das Zeitungspapier.
Das Hallen einer anderswo umfallenden Eisenstange.

Ein Nebelhorn.

Ein kurzer unbestimmbarer Schrei, dann nichts als die Laute kleiner Vögel, und ein Getrappel, wie es nur von auf einer Straße frei dahinlaufenden Vielzahl von Kinderfüßen kommen kann.

Einer wankt als Betrunkener hinten schräg durch die Szenerie, unter Summen, dann Aufheulen, dann Kreischen, zuletzt Zähneblecken und -knirschen, in den Kreis.

Eine vollständige Flugzeugbesatzung, mit entsprechendem Gepäck, zieht über den Platz ihre wie vorgegebene Bahn, gefolgt von einem Narren, der, ihnen knapp auf den Fersen, grimassenschneidend sie nachäfft, ihre Fußspuren küßt, dann an dem Boden horcht und endlich auf allen vieren abkriecht.

Währenddessen geht schon woanders eine junge Frau dahin, welche auf ihrem Weg einen Packen von Fotos aus einer Hülle nimmt, sie nacheinander betrachtet, stockt, lächelt, unter großem Lächeln, immer noch in das eine Bild vertieft, weitergeht, bis sie beim Anblick eines mit ihr mitlächelnden unbestimmbaren Passanten aus der Gegenrichtung schlagartig die

Miene verschließt und mit einem Maskenge-
sicht in die Gasse biegt; dafür trägt der andere
weiter das Lächeln über den Platz, nachgeäfft
für einen Augenblick von dem in einem kurzen
Bogen hereinpurzelnden und schon wieder
entschwundenen Narren, was aber das Lächeln nur noch verbreitert.

Mit Meilenschritten eilt einer aus der Tiefe
des Raumes als junger Macher dahin, mit dem
gehörigen Accessoire, hält mittendrin inne,
fährt in die Anzugstasche, klopft die anderen
Taschen ab, leert sie, zunächst in die Hand,
dann auf sein Köfferchen, steckt sie zuletzt,
einzeln, sorgfältig, ausführlich, zeremoniell,
wieder ein: sein knallbuntes Schneuztuch, die
Spielwürfel, eine leere Schuhcremedose (damit
erzeugt er ein Buschtrommelgeräusch), eine
Jakobsmuschel, den Taschenrechner, den Tot-
schläger, den Apfel, den Frauenstrumpf, das
Lebkuchenherz, die Schuhbänder, das lose
Geldscheinbündel, die Kreditkartenharmoni-
ka, die Höhlenlampe.

Dann enteilt er, ebenso wie er gekommen ist,
die Kofferhand trägt zugleich den Apfel.

Der Platzkehrer kommt mit seinem Besen,

kehrend, während indessen die Papiere, die er vor sich hin kehrt, zugleich schon wieder hinter ihm wehen, und je mehr davon er in die eine Richtung kehrt, desto mehr und mehr fliegen und stürzen aus der Gegenrichtung links wie rechts an ihm vorbei, wie oft er auch seine Schritte zurückgeht und neu anfängt; ohne Unterlaß, hier und dort, sich so doch vorwärtsbewegend und so tätig, verläßt er das Blickfeld.

Eine Schönheit geht nun endlich vorbei, welche in dem Moment ihres Auftauchens die Lider senkt und derart, des allseitigen Gesehenwerdens bewußt und damit spielend – ohne ein Zutun –, die Mitte der Bühne durchschreitet, mit einem einzigen lang hin sich ziehenden Blick, nur ahnbar, aus den Augenwinkeln: kein Katzenplärren, kein Rülpsen aus einem Lautsprecher, kein plötzliches Hupen, auch nicht das in einer Gasse losbrechende Bellen – nachgeäfft? – jetzt, auch nicht sich zwischen ihren Beinen verfangendes Papier jetzt, der aus dem heiteren Himmel polternde Ziegelstein, stört oder beunruhigt sie, selbst nicht der für einen Moment aus einer Gasse über sie wegwischende Wasserstrahl; im Abgehen vom Platz erst öffnet sie wieder die Lider.

Ein Mädchen im Boutiquendress geht einen weiteren Bogen mit dem Kaffeetablett, während einer als Bettler nach seiner Sitzung den Platz quert, beim Gehen die Münzen im Teller zählend und danach alles miteinander in seine Manteltasche steckend.

Zwei Unbestimmbare gehen dann aus verschiedenen Richtungen durch das Geviert, der eine mit einem Buch in der Hand, der andere mit einem Brot.

Ohne gegenseitig sich zu beachten, schlägt der eine, als sie auf gleicher Höhe sind, sein Buch auf, und beißt der andre von seinem Laib ab.

Der Lesende wird langsamer, ebenso der Essende; dann blickt der Leser auf und über die Schulter, während der Esser, im Kreis schauend, vom Platz geht.

Der große freie Platz in seinem hellen Licht, und nichts sonst.

Zwei weitere Unbestimmbare erscheinen.

Der eine hält inne und hebt den Kopf, wie angekommen, blickt um sich, atmet tief, nickt, während der andere ihn schon weiterwinkt, wieder und wieder, bis der erste, sich gemächlich einmal um die Achse drehend, ihm im Abstand folgt.

Indessen ist im Hintergrund, eine Handglocke läutend, einer als fahrender Gesell seines Weges gegangen.

Eine Frau in Kopftuch und Gummistiefeln quert den Platz, sie schleppt eine Gießkanne und hat daneben einen verwelkten, ja verfaulten Blumenstrauß, den sie in hohem Bogen hinter die Szene wirft.

Im nächsten Augenblick kommt von ganz woanders eine fast ebenso Gekleidete, Typ Altes Weib, mit einer Sichel, einem Reisigbündel und einem Handkorb übervoll von Waldpilzen.

Eine dritte Frau, unbestimmbar, fast gleich gewandet, bewegt sich auf einem dritten Weg, mit nichts in den Händen, den Rücken und Nacken tief gekrümmt, das Gesicht zu Boden geheftet, stetig, dabei kaum vom Fleck kommend, indes hinter ihr ein weiterer Wanderer nachrückt, den Gang verzögernd, noch und noch, als sei der Pfad zu schmal zum Überholen, dabei mit gleichmäßigem Fernblick, ohne Augen für das Wesen vor seinen Wanderschuhspitzen.

Den beiden, die immer noch beinah auf der Stelle treten, gegenüber ist wie in einer Verschnaufpause kurz einer als Koch ins Freie gekommen, für ein paar schnelle Rauchzüge, wonach er schon wieder aus dem Blickfeld ist.

Ein nächster müht sich um die Ecke, auf den Schultern als Last ein Fischernetz, während der Wanderer im Abgehen ein ihm in das Hemd geflogenes Tier ans Licht holt und zum Weiterflug in die Luft wirft.

Es hat gedonnert und donnert jetzt noch einmal.

Und eine Frau ist über den Platz gerannt, und läuft nun zurück, in den beiden Armen einen großmächtigen, ungeordneten Wäschebausch.

Als ob nichts gewesen wäre, schlendert dann ein Breitbeiniger vorüber, sich in den Hüften und Schultern wiegend, mit der Statur eines Platzherrn, auf dem Fuße gefolgt sozusagen von dem Platznarren, welcher ihn zunächst nachäfft, sich dann in ihn einhängt, erst den Arm, dann das Bein – einbeinig neben ihm herhüpfend –, zuletzt auf allen vieren als Kläffer um ihn herumtollend, ohne daß der Platzbesitzer, als der, der sich allein weiß auf der weiten Flur, ihn während seines Kontrollgangs auch nur einmal wahrnahm.

Auf einer Nebenstrecke wird in der Zwischenzeit eine Statue, aufrecht befestigt auf einem Radgestell, vorbeigezogen, und auf noch so einer Nebenstrecke geht wieder ein Individuum vorbei und hält sich die Ohren zu gegen das von links und rechts aufkommende Sirenenschalmeien, welches dann auch schon anschwillt zum Alarmjaulen (gleich abgebrochen).

Als ein Spuk huscht ein Papageno über die Szene, mit Vogelfängerkäfig, im Federkleid.

Der Blick auf ihn wird verstellt von etwas wie einem kleinen Holzfällertrupp, der unterwegs ist mit geschulterten Äxten und Sägen.

Ihnen nach irrlichtert eine junge Frau durch die Szenerie, mit weitoffenen Augen, die Hand auf dem Mund, die sie dann fallen läßt, ein lautloser Schrei, umspielt nun von gleichsam mittäglichen Spatzenlauten und sommerlichem Schwalbengesirr und gleichwelchem Fiedergewieher.

Gekreuzt wurde die Frau flüchtig von einem als Ballträger, danach ebenso einem als Japaner mit je einem umgehängten und schußbereiten Fotoapparat, blicklos für die ihm Begegnenden, Augen allein für den Platz, den er auch schon, samt der stillweinend Abgehenden, noch einem Rollschuhläufer, diesmal mit einem Segel vor sich, und einem an der Stelle des Kochs von vorhin wie dieser für einen Zigarettenzug hervorkommenden und im Nu wieder enteilten Krankenpfleger, aufs Bild bannt, worauf er schnurstracks zurückläuft, von wo ihm bereits die Weiterfahrt signalisiert wird.
Im Vorder- und Hintergrund queren nun zwei, mit gesenkten Köpfen, an denen gar nichts auffällig ist, es sei denn, daß ihr Gehen etwas Geschäftiges hat.

Pause.
Der Platz ist frei, in seinem hellen Licht.
Ein Rauschen hebt an, wird stärker, ein Brausen, geht rundherum, besänftigt sich.

Einer oder eine mit verbundenen Augen tastet sich in kurzem Bogen aus einer Gasse und macht sich in der nächsten schon wieder unsichtbar.

Einer mit einer Feder am Scheitel, wie dort vergessen, geht vorbei, sich die Brauen beschirmend, während ein andrer ihm entgegenkommt, den Blick geheftet auf seine augenscheinlich frisch verbundene Hand.

Im Abstand teufeln, aus verschiedenen Richtungen, zwei Läufer dahin, unter Getrampel, streifen einander fast, als sie auf gleicher Höhe sind, ohne Gruß und ohne Zeichen.

Dieses erfolgt dafür beim Wegekreuzen, auf Fahrrädern, zweier Postboten, und ebenfalls bei der Begegnung der beiden uniformierten Streifengänger, und ebenfalls dann, freilich fast versteckt oder wie heimlich, beim Einander-Passieren eines Mannes und einer Frau.

Einer zieht für ein paar Augenblicke einen leichten blauen Nachen, in dem eine weiße Gestalt, mumienhaft, ahnbar ist, über den Platz.

Einer in der Positur des müßigen Ladeninhabers tritt an der Seite hervor, läßt so sich eine Zeitlang sehen, tritt wieder zurück.

Eine kleine Wandergruppe quert in der Diagonale, entsprechend mit Vorhut, Hauptfeld und dem einzelnen Nachzügler, gesenkter Kopf, schleppender Schritt, der auch auf den Fingerpfiff von jenseits der Szene sich nicht beschleunigt; im Abgehen hält der Nachzügler gar inne, legt den Kopf in den Nacken und zeichnet mit der Hand sozusagen die Flugfiguren verschiedener Vögel in die Luft, die er im Weitergehen dann sich unters Gewand fächelt.

Indessen schwebte wieder die, oder eine andere Schönheit vorüber, eingehängt in den, oder einen anderen, strahlend neben ihr her hinkenden, hüpfenden, purzelnden Platzidioten; ein großes Blitzen geht von ihr aus auf ihrem Weg, von dem von ihrem Haarkranz bis zu den Stöckeln reichenden Spiegelschmuck, und zwischendrin wirft sie Blicke durch ein großes löchriges Baumblatt wie durch einen Fächer; und der Idiot wirft seine Handküsse in den Kreis, aus dem auf der Stelle eine schwarze Nonne trat, unsichtbares Gesicht, in der einen Hand einen Plastikkoffer, in der andern ein

Schnürpaket, und im Rücken der beiden woandershin zog.

Einige Unbestimmbare bevölkern dann für
Momente wieder den Platz, auf dem Weg von
einer Tätigkeit zu nächsten.

Einer geht mit einem Baum vorbei.

Einer erscheint von unten, aus der Tiefe, mit
einem Kanalarbeiterhelm, entschwindet auf
die gleiche Weise.

Ebenfalls von unten-hinten, gleichsam aus
einem Graben oder einer Kuhle, taucht ein
weiteres Paar auf, wie schon seit langem
dort zusammen, und geht im Licht des Platzes, einander umarmt haltend, in einer sich
öffnenden Spirale geruhsam, immer wieder
sich nach seinem Ort umschauend, von dan-
nen.

Einer in Gangsteraufmachung, die leeren Hände im Fingerspiel, hatte indessen einen kleinen
Auftritt, und nimmt nun seinen raschen Rück-
weg, die beiden Hände beschwert von Groß-
markttaschen, aus denen Gemüse schaut.

Ebenso rasch passiert dann jemand gefesselt,
ein Barfüßiger, eskortiert von zwei Unbestimmbaren, in Zivil.

Der Gefesselte hat auf seiner kurzen Passage allseits mit den Augen nach Zuschauern gesucht, aber gleich nach ihm zieht vielleicht wieder die, oder eine, Schönheit die Blicke auf sich, wie sie sich über den Platz bewegt, diesmal schleppend, mit stark vorgewölbtem Bauch, als Hochschwangere, mutterseelenallein, einen Brief in der Hand, auf den sie im Gehen noch eine Marke klebt.

Dieser und jener, Alte, Junge, Männer und Frauen, bilden hernach ihre Gefolgschaft, indem auch sie, mit vielfältigen Poststücken, sie wendend, zum Teil erst beschriftend, zuklebend, noch einmal durchlesend, die Karten betrachtend, aus verschiedenen Himmelsgegenden auf ein unsichtbares Zentrum jenseits des Platzes zustreben; der eine, Hände leer, kommt wieder zurück, geht woandershin; die andre ist in die Gasse weitergegangen, noch einer steigt, momentweis zurück, hinten hinab in den Untergrund.

In der Zwischenzeit ist woanders einer, bekleidet mit beinahe nichts, vorübergeblitzt, und hat im Vordergrund einer im Overall seinen Weg genommen, einen dicken Strick um die

Mitte geschnürt, einen Seesack an der Schulter, im Moment des Auftretens abgenommen und mit einem mächtigen Globus gefüllt, welcher im Weitergehen rundum aus dem Sack leuchtet, während sein Träger sich unterwegs immer neu zu einer unverständlichen Rede, in Gemurmel und Geflüster verebbend, aufschwingt.

Zwei Jäger ziehen auf einer grünen Reisigbahre einen dritten Jäger vorbei.

Ein paar gehen dann einfach nur, ziellos und zielbewußt, der eine mittendrin sich von einem Ziellosen in einen Zielbewußten verwandelnd, während sein zielbewußter Nachfolger plötzlich das Ziel verliert.

Und wieder geht ein Rauschen um den Platz.

Einer als Kellner läßt bei einem kurzen Auftritt aus einem Kübel Eisstücke drüber hin splittern.

Pause.

Der leere Platz im hellen Licht.

Ein einzelnes Blatt fällt von hoch oben, gleich einem Sommerblatt.

Ein Schuß, und dessen Echos, noch und
noch.

Einer tritt auf den Platz mit einem gespensti-
schen Brillenapparat, wie aus einem Optiker-
geschäft, probiert das Sehen, tritt wieder zurück.

Anderswo quert eine, in der Armbeuge einen
Korb gehängt mit frühen Äpfeln, von deren
einem sie im Gehen abbeißt.

Ein Platzwart, derselbe oder ein anderer?,
biegt für einen Moment herein, mit einem
Schlauch den Boden spritzend.

Geführt von jemandem mit hocherhobenem
Sonnenschirm, tritt eine kleine Reisegruppe
auf, eher krumme, ländliche Gestalten, dun-
kel-festlich herausgeputzt, in der Mehrheit alt,
hält nun in einem einzigen Ruck inne und
bricht, wie angesichts des bloßen Lichtes auf
dem Platz, in einen Unisono-Ausruf des Stau-
nens aus, den sie, wobei ein jeder sich krumm-
langsam im Kreis wendet, beim Abgang dann,
unter der stummen Zeugenschaft des Führers,
gleichsam für diesen, mit geschlossenen Mün-
dern als großes Gesumm abgewandelt wieder-
holt.

Und wieder kommen einander von weitem ein Mann und eine Frau entgegen, von denen der eine sogleich den Kopf senkt, während die andre diesen erhoben hält, worauf kurz vor dem Kreuzen der eine plötzlich aufblickt, der andern ins Gesicht, die das aber im Augenblick zuvor gerade weggedreht hat.

Zwei Schönheiten, als Geherinnen – Sportdisziplin –, im entsprechenden Aufzug, ruckeln, im Nu, vorbei.

Eine als angehende moderne Geschäftsfrau, mit einem durchsichtigen Köfferchen, worin sich dies und das abzeichnet, studiert im Gehen ein Dossier, zugleich in die Hand geklemmt das tragbare Telephon mit der herausgefahrenen Antenne, welches ihr alsbald zu Boden fällt, worauf, nachdem sie sich unwillig danach gebückt hat, in der Folge der Koffer aufspringt und seine Sachen entläßt, worauf, nachdem sie dieselben unwirsch-zornig eingesammelt hat, sie bei einem der nächsten Schritte stolpert, worüber sie auf einmal unbestimmbar lächelt, was sich bei dem Sich wieder Vertiefen in das Dossier beim Weitergehen verstärkt, und, als sie jetzt erst recht stolpert, sich anstößt, fast fällt, nachdem sie einen Schmerz-Wut-Schrei ausgestoßen hat, im Abgang zu einem lauthalsen Lachen wird.

Wieder ein Wanderer, Hut in der einen, Buch in der andern Hand, tief gebeugtes Haupt, zieht seiner Wege, als unversehens ein weiteres Läuferpaar getrappelt kommt, mit Schritten, von denen der ganze Platz erdröhnt, und dem Gehenden, ihn beim Überholen wie in die Zange nehmend, auch schon die zwei Dinge aus den Fingern streift, ohne sich dann, schon sind sie unter kurzem Auf-nieder-Wippen entschwunden, umzudrehen nach ihm, welcher jetzt zeremoniell ausspuckt, sich bückt, seinen Weg fortsetzt und, von der erhobenen Hand des Nachfolge-Läufers plötzlich gegrüßt, gleich plötzlich die Hand zum Wiedergruß schwenkt.

Während er noch weiter lustwandelt, hat schon in seinem Rücken ein Landvermesser sein Gerät-Gestell aufgepflanzt, späht hindurch, winkt seinen unsichtbaren Partner jenseits des Platzes rasch nach links, nach rechts, zeigt ihm seinen Daumen und hat den Platz bereits wieder geräumt.

Ein Fastgreis, mit einem altertümlichen Tor-
schlüssel, zeigte sich, als flüchtige Randerschei-
nung.

Ebenso dann ein Mann, es könnte der als Japaner von vorhin sein, wie er, einen Bergstock
in der Faust, eine Weißhaarige auf seinem
Rücken schleppt; ein Jüngling mit einem
Palm- oder Farnwedel; zwei, drei, die im Da-
hingehen aus Feldflaschen trinken; einer als
Moses, vom Sinai zurückkehrend mit den Ge-
setzestafeln; einer, wie er in seiner Saumselig-
keit mittendrin Habachtstellung einnimmt,
die Hacken schlägt; eine kleine Gesellschaft
im weißen und schwarzen Festgewand, sich im
Gehen nach und nach Reiskörner von Haaren
und Schultern beutelnd; und eine Schönheit
wiederum, welche, zunächst nur von hinten
sichtbar, sich plötzlich nach mir! umdreht.

Ebenso plötzlich stürzt mitten dadrin ein
Knäuel heraus auf den Platz, zunächst step-
tanzend, unter wie vielstimmigem Winseln,
Brüllen, Geheul, Gebibber, Gekreisch, und
wälzt sich so kreuz und quer auf dem Boden,
bis sich herausstellt, es gibt da nicht mehrere
Wesen, auch nicht zwei miteinander Kämp-

fende, sondern bloß ein einzelnes, im Todeskampf, welcher dann endlich überstanden ist; das Bündel streckt sich, daneben verstreut die im Kampf verlorenen Sachen, die Schuhe.

Der Sterbende wurde, bis in seine letzten Zuckungen, nachgeäfft vom herbeischarwenzelten Platznarren.

Stille.

Zwei kommen gelaufen, in weißen Mänteln, mit einer Bahre: ein paar Handgriffe, und schon das Wegtragen, auch der Habseligkeiten.

Ein Paar, zunächst im Abstand, Zeuge des Todes geworden, umschlingt jetzt einander; fällt übereinander her; bespringt einander im Wegeilen.

Ein heiter Ahnungsloser schlendert dann noch vorbei.

Der Platz für sich in seinem hellen Licht.

Wieder zieht das Rauschen um ihn, herbstlich.

Einer als Gärtner geht vorbei, als Szepter den Rechen, einen Sack mit Heu, von dem er ein paar Büschel verliert, hinter sich herschleifend.

Das Fragment einer Zirkustruppe – ein Herold, ein Nummerngirl, einer mit Andeutungen des Jonglierens, einer im Zeichen des Clowns, einen kleinen Affen auf der Schulter, ein Zwerg – macht über den Platz hin eine Schleife, wie in einer Arena, mittwegs gleichsam ergänzt vom Platznarr, der für einen Augenblick da seinen Unterschlupf findet, als Mitläufer, und im nächsten wieder allein ist und abirrt.

Wieder stolziert eine Schönheit über die Szene, gefolgt darauf von einer andern, schnelleren Schritts, die plötzlich losläuft, der vor ihr einen heftigen Schlag auf den Schädel versetzt, und schon wieder seitlich in eine Gasse weggerannt ist; die erste, sich den Kopf haltend, ist stehengeblieben.

Während sie so verharrt, kommt noch einer auf Rollschuhen, sich anschiebend mit Schistöcken, daher, entreißt ihr im Vorbeistieben die Handtasche, was sie um sich selbst kreiseln läßt.

Während sie dann weiter reglos dasteht, geht jemand mit einer Staffelei, mit spitzem schwarzem Hut und im Kostüm des neunzehnten Jahrhunderts vorbei, zeigt einer augenblicksweise aus einer Gasse sich mit einer Faunsmaske, schieben zwei im Vorüberkreuzen einander mit den Füßen einen Ball zu, geht wieder eine Alte mit dem bekannten, inzwischen freilich stark quietschenden Einkaufsschiebkarren voll mit zerschlissenen Plastiktaschen, schwingt einer weit hinten sich als Tarzan über die Lichtung, streift einer die Szene kurz im Morgenmantel, mit einer Mülltonne, lassen die und der sich blicken wieder auf dem Weg zum Briefaufgeben.

Ein Mann schleicht sich von hinten an die Schönheit, auf dem Sprung, und legt ihr dann sacht die Hände auf die Augen, wonach, ohne daß sie sich nach ihm umblickt, er sie ebenso unter Knie und Achseln nimmt und vom Platz trägt.

Ein tiefes Seufzen kommt von ihr.

Einer geht vorbei, die bloßen Arme bis über die Ellbogen voll mit Uhren.

Zwei oder drei im schweren dunklen Wintergewand, mit Koffern und Kisten, begegnen zwei, drei andern, luftig unterwegs, in farbigen Sommerkleidern.

Ihrer beider Wege wurden kurz aufgehalten von einem dazwischenkurvenden Elektrokarren mit Gummirädern, auf welchem zwei mit Schirmmützen einen Sarg transportieren, hinter dem her der Platznarr, die Hände vor dem Leib gefaltet, als Trauergast trippelt; worauf zwischen den beiden Gruppen ohne Umstände ein kleiner, wie lange vorbereiteter Kleider- und Sachentausch stattfindet und eine jede dann ebenso weiter in ihre Richtung abzieht.

Indessen wurde von irgendwo ein Schleier hereingeweht, und ihm auf dem Fuß folgte eine junge Frau im Brautkostüm, dieses sichtlich erst in der Probierform, sucht, findet, entschwindet.

Während all des Kommens und Gehens jetzt, auf eher leisen Sohlen, wird dazu rund um den Platz von neuem das Getrappel von wettlaufenden Kindern vernehmbar gewesen sein, samt den zugehörigen Rufen.

Ein Beliebiger geht nun an einem Beliebigen vorbei, stutzt, auch der andere stutzt, sie starren einander in die Gesichter, erkennen einander, haben sich geirrt, schütteln die Köpfe,

UNIVERSITY OF WINCHESTER
LIBRARY

scheren weit aus, stutzen noch einmal, blicken einander starr nach, gehen kopfschüttelnd getrennter Wege.

Wie zufällig, während die zwei noch im Bild waren, zog woanders ein dritter Kopfschüttler seine Bahn, der freilich, immer langsamer werdend, mit der Zeit überwechselte zum Nikken, aus diesem wieder ins Schütteln kommt, aus diesem neu in das Nicken, auch das beides verlangsamend, von Mal zu Mal monumentaler, undsofort, bis am Ende seines Auftrittes das eine das gleiche ausdrückt wie das andre.

Er hat dabei keine Augen gehabt für den alten Mann in dem reichverzierten orientalischen Hausgewand, wie er, mit dem Arm vorausweisend ins Licht, einen abgerissenen, schlammverkrusteten, kaum gehfähigen Jungen über den Platz heimführt, ihm, der zuvor nach jedem Schritt wieder einen zurückwich, entgegengegangen als seinem verlorenen Sohn, indes noch ein Dritter, dieser im Knechtskleid, auftaucht, mit einem Lamm im Arm, und dem Paar vorausgeht.

Kaum sind sie alle in ihren Gassen, folgt ihnen,

Brille in die Stirn geschoben, den Finger in et-was wie einem Textbuch, der Platznarr oder -herr als ihr begeisterter Nachahmer — er spielt einen jeden von ihnen, ansatzweise, durchein-ander —, im Abstand begleitet von einem an-dern, welcher den Platz in seinem Licht als Modell, verkleinert, Holz oder Pappe, vor sich herträgt, zu welchen beiden sich am Ende noch eine dritte Person, im einen Arm eine Kleiderpuppe, im andern ein Haufen Ko-stüme, gesellte; sehr schnell sind sie weg.

Der freie Platz in hellem Licht, umbrandet von episodischem Getöse gleich einer winzigen Insel.
Ein Murmeltierpfiff, ein Adlerschrei.
Spukhaft kurz das Schrillen einer Zikade.
Auf einem kleinen Leiterwagen schieben und ziehen zwei eine schräggelegte Säule vorbei.
Ein Mann folgt einer Frau, und gleich, als hät-ten dieselben hinter dem Platz rasch einen Kreis gezogen, eine Frau einem Mann; sie ver-stellt ihm den Weg, worauf er ausweicht, wor-auf sie wieder den Weg versperrt und, als er vorüber will, in seinem Umhang faßt, wor-

auf er sich entreißt und halbnackt hinausläuft, während die Frau einem Dritten, der nun von woanders hinzutritt, ohne ihn anzublikken, sozusagen den Stoff hinhält, worauf der Neuankömmling mit großen Schritten dem ersten Helden nachgeht und die Frau ihm auf den Fersen folgt, auf halbem Weg gekreuzt von einer rüstigen kleinen Senioren-Wandergruppe.

Ein einzelner anderer Alter kommt dieser entgegen, ebenfalls mit einem Stock, mit welchem er mir nichts, dir nichts jetzt auf die Wanderer losgeht, die ihrerseits mit ihren Stöcken sofort parieren, woraus dann ein Florettgefecht wird und dauert, bis der Einzelgänger seine Widersacher in die Flucht geschlagen hat und lakonisch weiter seine Fährte zieht.

Eine Zeitlang ist es dann, als gingen nur Greise über den Platz, und zwar jeweils, und immer in einer Richtung, dieselben, die da, auf der einen Seite auftauchend, auf der andern abgehend, auf der einen wiedererscheinend, ihre ewigen Kreise ziehen, einmal als eher nur langsam vorrückende Schlangesteher, einmal als Talarwürdenträger bei einem Umzug, einmal

als Landmenschen, alle Arme voll mit Getrei-
degarben, Weinkorbflaschen, Maiskolbengir-
landen, bei ihrer Erntedankprozession, einmal
als Veteranen samt dem, was dazu gehört,
schließlich bloß als vereinzelte Alte, jeder
für sich, rege oder weniger, so einander nun
auch überrundend und wieder entgegenkom-
mend, der eine dazwischen beiseitegehend
und, während die übrigen weiterrunden, am
Rand, an den Rändern tapsend, Fuß dem Fuß
nachschiebend, der nächste an einen anderen
Rand ausscherend, dastehend, eine Mauer,
einen Sims, für Kopf, für Arme, für Füße su-
chend, samt Stock, dann auf der Stelle zit-
ternd, als ganzer, mit dabei stillem Gesicht,
welches noch stiller, und weißer, erscheint, als
jetzt aus einer Gasse ein Kindesschreien los-
bricht, verstummt, wiederum losschallt, Ent-
setzens- und Jammerslaute, die selbst das in
der Folge einsetzende starke Kommen und Gehen auf dem Platz übertönen, beliebiger Passanten, unter anderm eines lässig die Szene
beherrschenden Filmteams, dem im Vorübergehen der Ort samt seinen Ansässigen wie
Durchzüglern gehört, obwohl er augenschein-

lich nicht der Drehort ist; und in solch jähem Durcheinander und Getümmel zittert hinten am Horizont, begleitet von den Kindesschreien, das letzte Mondgesicht der Greisenrunde ab, freilich so gemächlich, daß in dem stetigen Zittern ein jedes einzelne, ruckhafte Kopfheben deutlich wird, nach dem in dem Geschiebe, der vielleicht für ihn Augen hätte; ohne Erfolg (oder es sind nicht die gesuchten Augen).

Dieser Episode schließen sich gleich einige kürzere an, wobei den Platz auf einmal nur Junge queren, umkurven, kreuzen; auf einmal allein Männer; auf einmal allein die Frauen.

Dann laufen, ein jeder seines Wegs, ein Mann als Frau und eine Frau als Mann verkleidet; im Laufen verlieren sie, einer nach dem andern, Teile ihrer Verkleidung, raffen sie auf, laufen weiter.

Einer ging indessen vorbei als ein Junger und kommt jetzt zurück, erkennbar nicht am Gang, sondern an Haut und Haaren, als Gealterter, und ganz woanders, längst ist das Kind beruhigt, ergehen sich im Licht, auch sie in orientalischen Gewändern, zwei Jugendliche, brüderlich, von denen der eine einen großen Fisch an einem Fingerhaken trägt, während sodann, wieder ganz woanders, Äneas seinen greisen Vater auf dem Rücken über den Platz trägt, in der Hand eine Schriftrolle, welche raucht und brennt.

Pause.
Der Platz glänzend von Leere.
Das übliche Hintendurchdonnern eines einzelnen Motorradfahrers, unsichtbar, hernach ein Propellerknattern über der Szene.
Danach wieder das Aufrauschen, im Kreis.
Wieder geht einer als Papageno auf einem Platzsegment, an der Stelle des Federkleids eines aus Muscheln, welche klingeln; der Vogelkäfig, den er trägt, ist leer und sperrangelweit geöffnet.
Ein Unbestimmter, die Hand unterm weitgebauchten Mantel, folgt ihm, und Papageno wendet sich dann öfter und öfter nach ihm um, der andere bewegt sich wie in seinen Fußstapfen, beschreibt jede Kurve mit und jedes Zickzack.

Erst als er dann in einen Apfel beißt im Nach-
gehn und aus dem Mantel eine Packung Säug-
lingswindeln zum Vorschein kommt, blickt
der Muschelmann neu voraus, dreht sich unterwegs sogar spielerisch-sorglos um sich selber.

Und schon ist der Hintermann bei ihm,
schnürt ihm die Hände auf den Rücken, versetzt ihm mit dem Pack einen Genickschlag,
daß er zu Boden bricht, dort reglos bleibt, und
geht als krachender Apfelesser, das Windelpa-
ket schwingend, ab.

Während der Niedergeschlagene, den Käfig in
der verkrampften Faust, ihm nachrobbt, be-
tritt wieder ein Wanderer die Szene, auf seinem
Kopf, die Wurzeln in die Höhe, einen ganzen,
vom Regen freigewaschenen Baumstock, lädt
diesen, nach einem Rundblick, ab und läßt
sich, die Wurzeln als die Füße des Schemels,
darauf nieder.

Während er eine Landkarte entfaltet, kommen
plötzlich ein paar als Soldaten über den Platz
gestürmt, hetzen einen Moment danach, weniger geworden, aus derselben Richtung noch
einmal vorbei, und zuletzt, verwandelt in ei-

nen Flüchtling, um Atem ringend, den Kopf hin und her werfend, erscheint an derselben Stelle ein einziger, breitet dann unversehens seine Arme aus, wie an dem Ort angekommen, umrundet denselben geruhsam und gesellt sich zu dem Sitzer auf dem Wurzelknollen, mit der erhobenen Hand sozusagen das Defilée der beiden folgenden Grüppchen abnehmend: des einen, das ein Beduinenzelt vorbeizieht, des anderen, das auf einem Schiebkarren ein in viele Teile zerbrochenes Denkmal durchtransportiert; der Wanderer ist indessen aus den Schuhen geschlüpft und schüttelt Kiesel und Sand aus ihnen, läßt eins wie das andere sich durch die Finger rinnen.

Eine trat in der Zwischenzeit wieder auf als Schwangere, mit einem vollbepackten Supermarkt-Caddie, begleitet von einem Mann jetzt, welches Paar in dem Licht allmählich innehält und sich umarmt nach allen Regeln der Kunst – die Frau schiebt unterdessen zugleich noch den Wagen auf der Stelle hin und her.

Als sie dann weiterziehen, die Frau nun einen in weißes Tuch geschlagenen Korb auf dem Kopf, der Mann wagenschiebend ihr nach im Abstand, stolziert wiederum einer mit einem Baumodell auf den ausgestreckten Armen durch die Szenerie: anstatt des verkleinerten leeren Platzes diesmal, übermannsgroß, das Modell eines klassischen Labyrinths, welches der Gehende nachzuzeichnen versucht.

Indem er damit, in Winkelbewegungen, abtanzt, kommt schon der nächste, wieder einer mit einem gerollten Teppich oder Läufer, der sich nun aber, im Entrollen, in der Diagonale über den ganzen Platz, als ein Feldweg entpuppt, samt lehmgelben Wagenradspuren und einem Streifen von Gras inmitten; die zwei Erstankömmlinge, ehe sie wieder ihren Sitz einnehmen, sind ihm kurzerhand beigesprungen, den Weg am Ende festtretend.

Dessen Träger ließ sich nach getanem Werk am Wegsaum nieder, im Abstand zu den zwei andern, im Schneidersitz.

Als die ersten Weggäste bewegen sich bereits Abraham und Isaak vorbei, der Vater einen Schritt hinter seinem Sohn, den er, die Hand auf der Schulter, vor sich hinschiebt, die andere Hand hält im Rücken das Opfermesser; gefolgt von einem unbestimmbaren Paar, welches plötzlich sich in einen König und seine Königin, dem »alten Wucherer«, welcher sich, für eine kurze Zwischenstrecke, in einen Hüpfschritte-Macher, dem High-noon-Helden, welcher sich, innehaltend, in einen Krükkengeher, den Fingerschnipser, Rhythmusklopfer, Luftdirigenten, Kopfwackler, welcher sich unversehens in einen gleichmäßig stillen Schreiber verwandelt, anhand des Notizbuchs, aus der Achselhöhle gezogen, und dann in einen Zauberer, indem er, das Heft zurücksteckend, eine Kugel aus Bergkristall hervorzaubert, die für den Augenblick das Licht des ganzen Platzes bündelt; entzaubert zugleich, und von ihm selbst, durch ein Papiersackknallen.

Pause.
Der Platz im Licht, mit seinen Insassen, auf dem Baumpflock, am Wegrand.
Rundum geht nun ein Klatschen wie von springenden Fischen, und ein starkes Summen

steigt in die Luft, wie von einem sommerlichen Bienenschwarm.

Einer in panischer Eile, mit einem Vertreterkoffer, platzt auf die Lichtung und hat es plötzlich nicht mehr eilig, schlendert zur Seite, gesellt sich zu dem am Wegsaum, geht neben ihm in die Hocke.

Isaak kehrt zurück, heil, den Abraham mit leeren Händen, als Todmüden, im Gefolge.

Während sie sich im Abstand hinlagern, der Vater den Kopf im Schoß des Sohnes, ziehen im Unsichtbaren wieder Kinder vorbei, erkennbar an den unentwegten Rufen und Schreien, und nähert sich einer auf den Knien, der dann auf die Beine springt, sich den Staub abputzt und sich gleichwo hinstellt.

Wieder schleicht sich einer als Platznarr an und äugt, von einem zum andern, den einzelnen von unten in die Gesichter, zieht sich dann auf den Zehenspitzen zurück in den Hintergrund, währenddessen einer als »Buchnarr« auftritt, sich immerzu das Licht in sein aufgeschlagenes Buch fächelnd, derart auf und ab gehend, und auf einem zweiten Weg einer hereinhüpfte wie auf aus einer Flußfurt ragenden Steinen, am Ufer nun einhaltend und zurückblickend, und auf einem dritten Weg ein eisschleckendes Altenpaar daherkam.

Für den Augenblick geht auf dem Platz keiner mehr vorbei, ein jeder stoppt, hört zugleich auf, tätig zu sein, steht, sitzt, lagert; so auch die Nachfolgenden: zwei, die einander umkreisen wie Ringer, auf der Lauer nach dem Wurfgriff, und auf einmal sich ruhig auseinanderbegeben; einer, der auftrat mit der Siegergebärde der emporgerissenen Arme und sie auf der Stelle sinken läßt; einer, hereingelaufen, auf der Brust eine Nummer, welche im Stand sofort von ihm abfällt; eine bei ihrem ersten Schritt ins Licht als von den Toten Auferstandene, dann Purzelbaumschlägerin, dann unauffällige Figur unter den sonstigen; einer mit Schnee gehäuft auf Schultern und Hut, fast schon vorüber erst haltmachend und entschlossen zur Platzmitte abbiegend, wobei er den Hut abnimmt, den Schnee abschüttelt und immer stiller geht, mit immer kleineren Schritten.

Zuletzt stolperte noch eine Gestalt in blauer Lehrlingsmontur auf die Szene, dabei, ein Wagenrad durchzurollen – oder ist es nicht eine

Rosette, verglast mit dem Blau von Chartres, in der sich nun vielfältig wieder das Licht bricht? –, macht mittendrin mit dem Ding kehrt, kommt schon zurück ohne es, sucht seinen Platz bei den andern, findet den freilich nicht und nicht –, das Seinen-Platz-nicht-Finden wird immer dramatischer, bis endlich der Platznarr alias -meister alias -patron ihn kurzerhand irgendwo einweist (so sehr ist dann noch niemand an seinem Platz gewesen), worauf sein Beistand die Maske abtut und zum Ich-weiß-nicht-wer im Zwischenraum mit all den andern wird.

Pause.
Der Platz in seinem alten hellen Licht, und darauf weithin, in Abständen oder eng beieinander, hingelagert, auch aufrecht, hockend, thronend, die vollzähligen Helden.
Das Rauschen oder Sausen geht wieder im Kreis, gefolgt von einem in der Diagonale nach hinten sich fortsetzenden Schnalzklang, wie beim Zufrieren eines Sees, gefolgt von dem Einton eines fernen Grillengezirps, gefolgt von Stille.

Für einen langen Augenblick fügt sich nun folgendes: Ein Zusammenfahren geht durch sie alle gemeinsam, ein gleichzeitiges Erschauern, noch einmal, und noch einmal, dann ein Aufschrecken, dann ein Ruck.

Einer ohrfeigt sich selber.

Einer lädt eine zu sich ein auf die Knie, und sie ist schon auf ihm.

Einer wendet seinen Rock zum Festgewand.

Einer putzt dem andern den Schuh, einer lehnt sich haltsuchend an eine, einer kratzt wild am Boden.

Einer mit dem Anschein eines Wartenden bekommt einen Mitwarter, ein dritter gesellt sich dazu und spielt das Warten der beiden.

Ein Mann und eine Frau legen einander die Hand auf das Geschlecht.

Einer schneidet sich eine Haarsträhne heraus, einer zerreißt sich im Gehen das Gewand über der Brust, einer tritt sich Hundekot vom Schuh, eine wirft einer einen Schlüssel zu, die damit einen Hüpfschritt unternimmt.

Einer zupft im Vorbeigehen an einem andern.

Einer wirft sich bäuchlings nieder und legt das Ohr an den Boden, dann das zweite.

Einer gibt dem Anschein nach das Warten auf, und wird, schon im Begriff, beiseitezugehen, von einem andern zurück auf seinen Platz gebracht.

Einer sucht etwas, gebückt, dann auf allen vieren, einer sucht mit ihm, ebenso, ein dritter schließt sich an, kommt in die Quere, und ganz woanders fängt noch einer seinerseits zu suchen an, indes der erste Suchende dies und jenes findet und ins Licht hält, das er gar nicht gesucht hat, und einer der Mitsucher etwas längst Verlorengeglaubtes für sich wiederfindet, das er nun küßt und herzt.

Einer gießt einem, der liegt, aus der Feldflasche Wasser über die Stirn.

Einer geht als Peer Gynt auf und ab, seine Zwiebel schälend.

Immer mehr schauen die Leute auf dem Platz einander an, nein, zu: der eine plötzlich Rasende, Trompetende, Amoklaufende wird durch das bloße Zuschauen ebenso besänftigt wie die eine plötzlich lauthals Schluchzende und der jämmerlich Pfeifende; der jeweils zuschaut, nähert sich zugleich.

Ebenso geschieht es auch, daß sie allesamt einfach bloß da sind, die einen Auge, die andern Ohr, und einander so zuschauend sich jeweils in den andern verwandelnd, und so über den ganzen weiten Platz.

Einer geht mit einem Erkennungszeichen, Blumen, dann Buch, dann Foto, durch die Reihen: Kopfschütteln um Kopfschütteln, ein Stutzen, erst recht ein Kopfschütteln, schließlich unversehens das wortlose Ja und eine ungeschickte Umarmung.

Ebenso ungeschickt schlagen zwei gemeinsam Weitersuchende mit den Köpfen aufeinander, lüpft einer einen vom Boden und geht mit dem nach Luft Japsenden japsend im Kreis, streichelt eine den andern, daß sie ihm dabei grotesk das Gesicht verzieht.

Und wieder sind sie sämtlich nichts als anwesend, mit immer schmaleren Augen.

Rabenschreie und Hundegebrüll, in diesem zugleich ein Grollen.

Ein Sturm brach los, hoch über dem Platz, ein Donnern und Knattern, ohne daß sich an denen unten die Haare rührten.

Rings um die Szenerie ging dann ein vielfältiges Weh- und Klagegeschrei, hier von einem

Kind, dort von einem Elefanten, dort von einem Schwein, einem Hund, einem Nashorn, einem Stier, einem Esel, einem Wal, einem Saurier, einer Katze, einem Igel, einer Schildkröte, einem Regenwurm, einem Tiger, dem Leviathan.

Dann passierte nichts als ihre verschiedenen Farben: der Kleider, der Haare, der Augen.

Einer schaute dabei dem andern zu.

Zwei wärmen sich gegenseitig die Hände in den Achselhöhlen, einer erschrickt vor dem ihm Entgegenkommenden als seinem Doppelgänger, einer sucht in der Verzweiflung nach seinem Zuschauer und, fündig werdend, kann seinen Zustand spielen, einer folgt jedem langsam fallenden Blatt und zuckt bei jedem Auftreffen zusammen.

Alle zusammen formen mit ihren Leibern mitten auf dem Platz eine Freitreppe, wovon der zuoberst Liegende plötzlich sich erhebt und hinunterschreitet, worauf aus der Tiefe zu ihren Füßen ein Glockenläuten kommt, kaum ahnbar, einmal blechern, einmal volltönend, einmal fern, einmal nah, einmal rein, einmal verzerrt, welchem sie alle, aufgesprungen, gebückt, die Hände auf den Schenkeln, jetzt lauschen, der eine verzückt, der eine verdrossen, der eine belustigt, der eine gequält.

Unter dem Geläute stakten dann hinter dem Platz, nur die Oberkörper darüberragend, in einem unsichtbaren Boot, sichtbar die Ruderstöcke, zwei Gestalten in afrikanischen Prachtgewändern daher, hielten und luden stumm, mit großen Gesten, in ihr Fahrzeug.

Niemand leistet Folge, obwohl wieder, nacheinander, durch fast alle ein Ruck dorthin geht.

Sie staken ab, während immer weiter die unterseeischen Glocken läuten.

Im letzten Moment prescht der im blauen Lehrlingsgewand los, ihnen nach, kracht fast zugleich hin, einer hat ihm ein Bein gestellt.

Glocke aus, Traum aus.

Einer winkt ab, dann noch einer, dann noch einer, dann der ganze Chor.

Pause.

Der Platz, das Licht, die Umrisse.

Einer, ein sehr Alter, mit weitgeöffneten Augen, dem sich nach und nach auch die übrigen zuwenden, sich nähern, von ferne zuschauen.

Er lächelt plötzlich in den Kreis.

Stille.

Und so wird er gleich zu sprechen anheben, setzt an zum Schwung, zeichnet mit den Händen, welche skandieren, mit Armen, welche himmelauffahren, mit den schnellenden Schultern, mit dem wiegenden Kopf, den sich lautlos einspielenden Lippen, sich blähenden Nasenflügeln, sich wölbenden Brauen, zwischendurch gar einem Hüftwackeln, den Verlauf seiner Rede vor.

Selbst die Entferntesten merken auf.

Der und jener der Zuschauer scheint ihn im voraus zu verstehen, nickt, nickt wieder, buchstabiert mit, schon summt er, sozusagen im Ansatz, noch einmal und noch einmal, in verschiedenen Tonlagen.

Plötzlich verstummt er, wie vor dem endlichen Reden, bleibt dann jedoch stumm, wird ausdruckslos, läßt sich so sehen.

Eine tritt an ihn heran, mit einem Bündel als Neugeborenem, und legt das dem Greis in die sich ausstreckenden Arme, und dieser, den

Blick darauf, den Blick in die Höhe, bricht in ein Jauchzen und Jubeln aus, ohne Worte, stammelnd und schmetternd.

Und wieder nickt dieser und jener seiner Zuschauer, ein Nicken jeweils, als folge es auf einen Satz; einige sind bereits aufgebrochen und nicken an ihm vorbeiziehend.

Ein allgemeiner Zug, in einem großen Bogen um den Platz herum, wird daraus freilich erst mit dem In-die-Hände-Klatschen des Greises im Herzen des Platzes, einmal, und noch einmal, worauf er, noch ein paar Fragmente seines Jubilierens und Frohlockens ausstoßend, den Säugling in den Armen sich in den Aufbruch einreiht, indes dabei von dem Bündel immer stärker ein wiederholtes, inständiges Piepen ausgeht wie von einer verlassenen Vogelbrut, dem dann sich wiederum das Rundumrauschen anschließt; zuvor hat dem Uralten noch eine ebenso Alte, wie um ihn flott zu machen, die Schläfen massiert.

Danach ging alles schnell: Gleich hinter dem, der zum Abschied noch einmal durch das Savannengras des Feldwegs streifte, wurde dieser bereits aufgerollt; schon kollert auch der Wur-

57

zelstock, im Vorbeigehen von verschiedenen Händen und Füßen geschoben, hinter die Szene; der, über die Schulter blickend, am Rand noch einmal ins Zögern kommt, wird vom Nächsten mit einem Tritt in den Hintern weiterbefördert; der nach den fallenden Blättern hascht, tut das im Laufen; der sich in einer Art Fußeisen verfängt, stürzt damit um so rascher davon.

Deutlich wird dabei, während sie sich nun in alle Richtungen zerstreuen, wie einer abgeht wütend-enttäuscht, zungezeigend, ausspukkend; einer fröhlich-enttäuscht, achselzukkend; die einen eher erleichtert, dem Traum entkommen zu sein, die andern diesem noch weiter nachwandelnd; der eine aufweinend, der andere auflachend; einer im Aufbruch den Boden küssend; einer sich im Aufbruch in die Luft den Weg skizzierend, wie ein Slalomläufer vor dem Start; einer regelrecht anlaufend; einer die Hände spreizend wie ein sich bereitmachender Gewichtheber und dann auch schon, all das Seine mit sich, auf und davon; deutlich auch jeder der einzeln sich Zerstreuenden, sommerlich flatternde Kleider, von etwas an-

geweht, einem Fetzen Papier, einem Plastik-
sack, einer Kohlenstaubwolke – indessen unbestimmbar jenseits des Platzes, von mehreren
anderen Plätzen, die Geräusche von einem
Feuerwerk einsetzten, zu Akkorden wurden,
ausklangen.

Pause.
Der helle leere Platz, in seinem Erinnerungs-
licht.
Ein kleiner Augenblick Schmetterling (oder
Nachtfalter).
Irgendein verschnürtes Ding schwebt herein,
an einem Miniaturfallschirm.
Ihm folgt auf dem Fuß wieder einer als Platzwart alias -kehrer, hinter sich herziehend einen
Karren, auf welchem ein Stapel von Markt-
stangen klirrt, nebst einer Mülltonne; in der
andern Hand einen Rutenbesen, mit dem er
die Dinge auf dem Boden teils vor sich her-
schiebt (auch schon das Fallschirmding), teils,
zum spitzen Ende umgedreht, aufspießt und in
den Kübel streift: ein paar Früchte – eine Rie-
senerdbeere –, einen Vogelkadaver, ein Fled-
derbuch, einen Fischkopf; im Abschieben,

kurz innehaltend, kehrt er sich mit dem Besen die eigenen Schuhe.

In der Zwischenzeit geht im Vordergrund schon wieder eine als Schönheit über den Platz, über die ganze weite Strecke ihr in sich gekehrtes Lächeln behauptend, selbst als sie im Gehen sich die verrückten Strümpfe richtet; quert im Hintergrund wieder einer mit einer Leiter so grazil, daß das Ding hinten dem Menschen vorne beinahe die Schau stiehlt; torkelt mittendrin wieder einer als Betrunkener, oder Verwundeter, seines Wegs, die langlangen Schuhbänder offen; zieht einer wieder seine Kreise mit einem aufgeschlagenen Buch, während einer neben ihm hergeht, mitliest und dem andern dann die Seite umblättert und woanders einige durchgehen, über sich an einer Stange als Vogelscheuche jemanden, den sie gerade *in effigie* verbrennen.

Ein Käuzchenschrei am hellen Tag; ein im Gehen still Weinender, dann Wimmernder, um sich fuchtelnd; ein Niedergedrückter, sich beladend dann mit mehr und mehr Sachen und so mit befreitem Lächeln losziehend; einer auftretend und abgehend mit einem Ast zwischen den Beinen; einer passierend mit dem Modell einer Brücke, die er vergleicht mit dem Platz; in einer Sänfte wird der Tod vorbeigetragen; der Jäger transportiert im Glas das »Herz Schneewittchens«; der gestiefelte Kater stolziert vorbei; das Sinken verkohlter Papierfetzen aus dem Himmel; eine mit Kleidern aus der Reinigung, unter einer Plastikhülle; heimkehrende Hirten mit Gummistiefeln; ein Gehender mit einer Sonnenblume; eine, die im Vorbeigehen im hohen Bogen ihren Schlüsselbund wegwirft; die Schönheit mit einem Haselstock; ein Monsterschnaufen, und dann zieht ein sehr kleiner Läufer vorbei; eine umkränzte Pforte wird durchtransportiert; ein General trägt Kinderschuhe vor sich her; einer mit einer Sternenkarte; einer mit einem gefalteten Pappstück auf der Nase; der Platzherr oder -wächter wieder den Karren schiebend, in diesem thronend der Platznarr, Besen und Schaufel als Szepter; einer sein Kanu auf dem Kopf tragend; einer mit verbundenen Augen zur Hinrichtung geschleppt; eine auf und ab wandelnd mit einer Riesenspeisekarte; eine Flüchtlingsfamilie, Kopf eines Kleinkinds ragend aus einer Einkaufstasche; die Erbschleicherin, ihre Erbtante begleitend; ein hinkender Hund an der Leine eines hinkenden Mannes; eine Festspielgesellschaft in langen Abendkleidern bahnt sich mit erhobenen Köpfen ihren Weg; ein fröhlicher Läufer mit Laufhüpfschritten; ein im Durchgehen seine Karten auffächernder Spieler; zwei, die im Gehen blitzschnell etwas austauschen; ein Leiterwagen voll mit Masken und Puppen wird vorbeigezogen; eine Gruppe, gemeinsam ausgestiegen, zerstreut sich, ein jeder einzeln, rasch über den Platz; die verschlossene Schönheit wird im Vorübergehen eine offene; ein Junger bläst einem Alten das Kerzenlicht aus; der Leuchtturmwärter stiefelt durch; eine Patrouille mit baumelnden Handschellen und Schlagstökken; ein Wanderer geht hörbar durch tiefes Laub; der Großvater trägt die sich windende Schlange im Stockspalt; die Portugiesin taucht auf; das Mädchen aus Marseille tritt an den Hafenquai; die Jüdin aus Herzliya wirft die Gasmaske in die Gasse; die Mongolin schreitet durch mit ihrem Falken; die Patronin von Toledo zieht ein Löwenfell hinter sich her.

Ein allgemeines stetiges Kreuz- und Querge-
hen setzt endlich ein – worin wieder einer kurz
als Kellner einen Aschenbecher auf den Platz
leert, eine mit einem Sektglastablett aus einer
Gasse in die andere schlendert, wieder einer
episodisch als müßiger Geschäftsmann oder
Wettermann hervortritt und zum Himmel auf-
schaut, beiläufig Chaplin vorbeiflaniert –,
hierhin, dorthin über die Bühne, ein jeder mit
der Zeit nichts mehr als pur ein Gehender, unterwegs, armeschwingend, so oder so das Gehen spielend (ein Läufer keucht dazwischen
seinen Lauftakt, in der vorgestreckten Hand
die Lehmskulptur eines Kindes); einen Augenblick scheint es, alle Gehenden würden zugleich gefahren.
Und jetzt reißt sich unten der Erste Zuschauer
los von seinem Sitz, gesellt sich zu dem Umzug, für ein paar Augenblicke, die er auf der
Szene herumirrt wie ein Hund oder ein Hase
auf einem Fußballfeld, und flüchtet.
Und jetzt schwingt sich der Zweite Zuschauer
auf die Szene und probiert das Mitgehen, be-
hindert alsbald von zwei Frauen, die, während
die andern geschickt ausweichen, eine Stange

voll mit Wäsche über den Platz tragen;
bleibt.
Und schon erscheint auch der Dritte Zu-
schauer auf dem Plateau, fädelt sich auf der
Stelle ein und mäandert, vollkommen selbst-
verständlich, mit in dem unentwegten Zug.
Kommen und Gehen, Kommen und Gehen.
Dann ist der Platz dunkel geworden.